솔이의 추석 이야기

이억배

1960년 경기도 용인에서 태어나 홍익대학교 미술대학 조소과를 졸업했습니다.
《개구쟁이 ㄱㄴㄷ》, 《잘잘잘 123》, 《이야기 주머니 이야기》, 《비무장지대에 봄이 오면》을 쓰고 그렸으며,
《모기와 황소》, 《세상에서 제일 힘센 수탉》, 《손 큰 할머니의 만두 만들기》, 《반쪽이》 등 여러 그림책에 그림을 그렸습니다.
그 가운데 《세상에서 제일 힘센 수탉》은 1997년 BIB(브라티슬라바 국제 일러스트레이션 비엔날레)에 선정되기도 했습니다.
지금은 경기도 안성의 작은 마을에 살면서 좋은 그림책을 만들기 위해 애쓰고 있습니다.

솔이의 추석 이야기 기획 **초방** | 글·그림 **이억배** | 아트디렉션 **이호백** | 디자인 **권윤덕**

첫판 1쇄 펴낸날 1995년 11월 15일 | **첫판 55쇄 펴낸날** 2016년 8월 23일
펴낸이 이호균 | **펴낸곳** 길벗어린이(주) | **등록번호** 제10-1227호 | **등록일자** 1995년 11월 6일
주소 10881 경기도 파주시 문발로 214-12 | **대표전화** 031-955-3251 | **팩스** 031-955-3271 | **홈페이지** www.gilbutkid.co.kr
편집 권혁환 이린하애 박은희 | **디자인** 조윤주 최수인 | **마케팅** 이정욱 박신희 유소희 강영준 | **총무·제작** 최수용 손희정 김창일
ISBN 978-89-86621-19-8 77810

이 책의 국립중앙도서관 출판예정도서목록(CIP)은 서지정보유통지원시스템 홈페이지(http://seoji.ni.go.kr)와
국가자료공동목록시스템(http://www.nl.go.kr/kolisnet)에서 이용하실 수 있습니다. (CIP 제어번호 : CIP2013001091)

솔이의 추석 이야기

글·그림 이억배

길벗어린이

두 밤만 지나면 추석입니다.

동네 사람들 모두가 바쁘게 고향 갈 준비를 합니다.

솔이네 식구들은 아침 일찍 집을 나섰습니다.

버스 터미널은 벌써 많은 사람들로 꽉 차 있었어요.

"자, 이제 출발!"

그런데 도대체 차가 움직이질 않아요.

드디어 시골에 도착했습니다.
마을을 지키는 당산 나무가 솔이를 반갑게 맞아 줍니다.

"할 머 니 -"

온 가족이 모였습니다.
이야기 꽃이 피고 맛있는 음식 냄새가 집 안 가득합니다.

추석날 아침 일찍 일어나 햅쌀로 만든 음식과
햇과일로 정성껏 차례를 지냅니다.

꼬불꼬불 산길을 따라 온 가족이 성묘를 갑니다.

마을에서 들려오는 풍물 소리에
오빠들은 산길을 내달아가요.

농악대의 장단에 맞춰 온 동네가 들썩들썩, 어깨춤이 덩실덩실.
신나는 놀이판이 벌어졌어요.

오늘은 집에 돌아가야 하는 날입니다.

할머니께서 햇곡식과 과일을 한보따리 싸 주셨어요.
거기엔 고소한 참기름과 울퉁불퉁 호박도 들어 있었죠.

"안녕! 안녕! 할머니 안녕!"

한밤중이 되어서야 집에 돌아왔어요.
아빠 등에 업힌 솔이는 할머니꿈을 꾸고 있었지요.